REINHARD ABELN
DEINE WELT IST EINFACH TOLL!

Reinhard Abeln

Deine Welt ist einfach toll!

Gebete für junge Christen

Verlag Neue Stadt
München · Zürich · Wien

Die Deutsche Bibliothek – CIP-Einheitsaufnahme

Abeln, Reinhard:

Deine Welt ist einfach toll: Gebete für
junge Christen / Reinhard Abeln. – 4. Aufl. –
München ; Zürich ; Wien : Verl. Neue Stadt ;
1997
ISBN 3-87996-251-0 (Verl. Neue Stadt)

1997, 4. Auflage
© Alle Rechte bei Verlag Neue Stadt, München
Umschlagabbildung: PLI / Bavaria
Satz: Datentechnik / Lichtsatz Helmut Gruber,
Regensburg
Druck: MZ - Verlagsdruckerei GmbH, Memmingen
ISBN 3-87996-251-0 (Neue Stadt)

Ein Wort zuvor

Das Bild auf dem Umschlag zeigt die Erde, wie wir sie nur von oben sehen können, vom Weltraum aus. So toll ist unsere Welt!

Es gibt aber auch eine Welt, die von keinem Satelliten aus fotografiert werden kann: die Welt in uns. Die Welt, in der Gott lebt. Und diese Welt ist nicht weniger faszinierend.

Diese innere Welt entdecken wir, wenn wir lieben. Denn Gott, der in uns wohnt, ist wie ein guter Vater. Er ist immer für uns da, auch wenn wir das nicht immer sofort spüren. Und er ist wie ein Freund, mit dem wir immer sprechen können. Dafür gibt es unzählige Gelegenheiten. Das kann am Abend sein, wenn wir zu Bett gehen, am Morgen, wenn wir aufwachen, oder irgendwann am Tag, wenn wir gerade ein wenig Zeit haben, nicht besonders beschäftigt sind oder eine kleine Pause machen.

Beten können wir überall: zu Hause, auf der Straße, im Bus, in der Straßenbahn, in der Klasse, auf dem Schulhof, im Schwimmbad, auf dem Spielplatz, in der Kirche ...

Gott freut sich, wenn wir uns aufraffen, um mit ihm zu sprechen. Für ihn ist nichts unwichtig oder langweilig, was wir ihm sagen. Ich bin sicher, daß wir durch diese Gespräche froh und zufrieden werden, jedenfalls froher und zufriedener, als wir vorher waren.

Dieses Gebetbuch zeigt an vielen Beispielen, für was wir Gott danken können und worum wir ihn bitten dürfen. Vielleicht sind die Gebete auch eine Anregung, mit eigenen Worten mit Gott zu sprechen – einfach so, frei von der Seele weg, wie es uns gerade einfällt. Das wäre besonders schön.

Lassen wir nie nach, Gott alles zu sagen, was uns freut und was uns Kummer bereitet! Wenn wir das tun – und dies auch in Zukunft beibehalten –, werden wir immer mehr diese unsichtbare, göttliche Welt entdecken. Etwas von diesem Himmel in uns können wir erahnen, wenn wir lesen, wie andere Christen mit Gott gesprochen haben. Daher gibt es in diesem Buch auch Gebete von Menschen, die Gott als Freund erlebt haben. Gott begleitet uns an jedem Tag unseres Lebens, darauf können wir uns verlassen; denn Jesus hat es uns versprochen. Und wenn wir nicht vergessen, ihm manchmal dafür zu danken, werden wir glücklich und froh sein.

Reinhard Abeln

Deine Welt ist einfach toll!

Lieber Gott,
du bist da,
auch wenn manche sagen,
daß es dich gar nicht gibt.
Du bist da,
wenn ich glücklich bin.
Du bist da,
wenn ich mutig bin.
Du bist da,
wenn ich freundlich bin.
Du bist da,
wenn ich …
Ich danke dir, lieber Vater.

Nichts soll dich ängstigen,
nichts dich erschrecken.
Alles vergeht –
Gott, er bleibt derselbe.
Wer Gott besitzt,
dem kann nichts fehlen,
Gott allein genügt.

Teresa von Avila (1515–1582)

Hab Dank für all deine Werke!

Lieber Gott,
es gibt so viel Schönes auf der Welt.
Ich muß nur die Augen aufmachen,
und schon sehe ich
deine herrlichen Werke.
Laß mich ab und zu innehalten
und die vielen
kleinen und großen Wunder betrachten,
die du dem Menschen geschenkt hast!
Hab Dank für deine schöne Welt!
Deine Schöpfung gefällt mir.

*Gott sah, daß alles, was er gemacht hatte,
sehr gut war.*

Gen/1 Mose 1, 31

Herr, ich bete um Frieden in der Welt.
Gewähre unseren Führern Weisheit,
damit sie erkennen, was richtig ist,
und tun, was deinem Willen entspricht.
Segne die Armen in unserem Lande,
und hilf den armen Nationen,
aus ihrem Elend herauszukommen.
Gib ihnen Kraft und Mut,
ihre Rechte zu verteidigen.
Laß die Diebe erkennen,
daß es nicht recht ist,
anderen Menschen etwas wegzunehmen.

Herr,
ich danke dir für alles,
was ich haben darf,
auch für die Schönheit der Dinge –
und nicht zuletzt für meine Eltern,
Brüder, Schwestern, Freunde –
und ganz besonders für meine Bildung.
Ich möchte anderen Menschen helfen –
das wäre mein Wunsch für die Zukunft.
Es geht mir nicht darum,
reich zu werden oder berühmt,
aber ich möchte gut sein
und lange leben dürfen
und anderen Menschen Freude machen.

Gebet einer Schülerin aus Marianhill, Südafrika

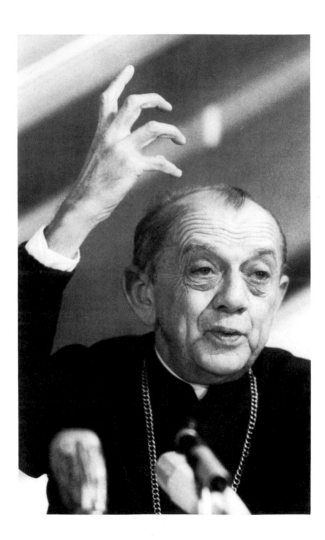

Herr,
ist deine Schöpfung nicht verschwenderisch?
Früchte, keine der anderen gleich,
Samen im Überfluß.
Wasser sprudelt aus den Quellen.
Die Sonne sendet gewaltiges Licht aus.
Deine Großzügigkeit lehre mich,
selbst freigebiger zu sein.
Deine Herrlichkeit hebe mich
über meine Mittelmäßigkeit empor.
Du scheinst mir ein verschwenderischer,
mit weit geöffneten Händen
Schenkender zu sein.
Laß mich großzügig geben
wie ein Königssohn,
wie Gottes eigener Sohn.

Helder Camara,
brasilianischer Erzbischof und Kämpfer für die
Rechte der Armen in aller Welt

Alles ist ein Zeichen von dir

Lieber Gott, ich kann dich
nicht sehen und nicht hören.
Trotzdem hat alles,
was ich sehe und höre,
mit dir zu tun:
die Blumen am Wege,
der Gesang der Vögel,
der Wind in den Bäumen,
das Lachen der Menschen,
die Musik, die mich froh macht ...
Alles ist ein Zeichen von dir.
Überall entdecke ich dich.
Das macht mich glücklich
und zufrieden, lieber Gott.

Lehre mich, mein Herr und König,
in allen Dingen dich zu sehen
und alles, was ich tue,
für dich zu tun!

George Herbert (1539–1633)

Ich will dich loben

Ich will dich loben, Gott,
solange ich lebe,
ich will dir singen, solange ich da bin.
Du hast Himmel und Erde gemacht,
das Meer und alle Geschöpfe.
Du hilfst den Unterdrückten
und gibst den Hungrigen Brot.
Ehre sei dem Vater und dem Sohn
und dem Heiligen Geist,
wie im Anfang, so auch jetzt
und allezeit und in Ewigkeit.

Nach Psalm 146

*Meine Seele preist die Größe des Herrn,
und mein Geist jubelt über Gott, meinen Retter.
Denn der Mächtige hat Großes an mir getan,
und sein Name ist heilig.*

Lk 1, 46. 47. 49

Heilig bist du, großer Gott!

Wie groß und mächtig
bist du, lieber Gott!
Du hast alles erschaffen:
Himmel und Erde,
Sonne und Mond,
Berge und Täler,
Tiere und Menschen.
Die Welt ist wunderbar!
Ich danke dir und bete:
„Heilig bist du, großer Gott!"

Dir sei Ehre und Macht!

Gott, Herr allen Lebens,
gut ist es, dir zu singen,
schön ist es, dich zu loben.
Du bedeckst den Himmel mit Wolken
und schenkst der Erde Regen.
Du läßt auf den Bergen Gras wachsen
und gibst dem Vieh seine Nahrung.
Du schaffst Frieden unter den Völkern
und sättigst uns mit bestem Weizen.
Dir sei Ehre und Macht –
jetzt und in ewigen Zeiten!

Aus Psalm 147

Du hast mir so vieles gegeben

Guter Vater im Himmel,
du hast mir so vieles gegeben:
zwei gute Augen,
mit denen ich sehen kann,
eine Nase,
mit der ich riechen kann,
zwei Ohren,
mit denen ich hören kann,
einen Mund,
mit dem ich sprechen kann,
zwei Hände,
mit denen ich essen kann,
zwei Füße,
mit denen ich laufen kann.
Ich danke dir für alles.
Ich lobe dich, großer Gott.

Der Apostel Paulus sagt:
„Keinem von uns ist Gott fern.
In ihm leben wir,
bewegen wir uns
und sind wir."

Apg 17, 28

Laß mich danken!

Großer Gott, laß mich danken
für das Licht meiner Augen,
für die Luft, die ich atme,
für die Worte, die ich höre,
für die Stimme, mit der ich spreche!
Laß mich danken,
daß ich gesund bin,
daß ich ein gutes Zuhause habe,
daß ich danken kann!

Herr über Leben und Tod

Vater im Himmel,
du hast allen Menschen das Leben geschenkt.
Du läßt aber auch zu,
daß alle sterben müssen.
Darüber müssen wir nicht traurig sein.
Wir wissen von deinem Sohn:
Ein Mensch, der gut war
und an dich geglaubt hat,
darf nach dem Tode
immer bei dir glücklich sein.
Hilf mir, guter Gott, so zu leben,
daß auch ich eines Tages
zu diesen glücklichen Menschen gehöre!

Danke für alles!

Lieber Gott, ich bin glücklich,
daß ich mich im Gebet
vor dir verneigen kann.
Ich danke dir von Herzen.
Danke für die Kleider,
die wir tragen;
danke für alles,
was du uns schenkst,
und auch dafür,
daß du unsere Sünden vergibst!
Wie du am Kreuz
für uns gestorben bist,
so bleibe bei uns, für immer!

*Gebet eines Mädchens aus dem Stamm
der Navajo-Indianer*

*Der Herr ist mein Licht
und mein Heil.
Vor wem sollte ich
mich fürchten?*

Ps 27, 1

Herr, ich möchte wie das Wasser sein,
das die Bäche und Flüsse bewegt,
durch Wälder und Wiesen fließt
und Leben und Fruchtbarkeit bringt,
wo immer es hinkommt.

Herr, ich möchte wie das Wasser sein,
das mit der Flut steigt
und mit der Ebbe fällt
und uns immer wieder hilft,
Schwieriges zu meistern.

Herr, ich möchte wie das Wasser sein,
das der Richtung folgt,
die Gott ihm gegeben hat,
und seine Sendung erfüllt in der Welt:
den Menschen zu helfen,
mehr Mensch zu sein.

Herr, ich möchte wie das Wasser sein,
das die Menschen zusammenbringt,
ihre Herzen vereinigt,
so daß sie Freude und Leid teilen.

Herr, ich möchte wie das Wasser sein,
das jeden Schmutz abwäscht
und jedem Menschen neue Hoffnung gibt,
der Heil und Auferstehung sucht.

Von einem Inselbewohner Lateinamerikas

Preist den Herrn, all ihr Werke des Herrn;
lobt und rühmt ihn in Ewigkeit!

Preist den Herrn, Sonne und Mond;
lobt und rühmt ihn in Ewigkeit!

Preist den Herrn, ihr Sterne am Himmel;
lobt und rühmt ihn in Ewigkeit!

Preist den Herrn, Regen und Tau;
lobt und rühmt ihn in Ewigkeit!

Preist den Herrn, all ihr Winde;
lobt und rühmt ihn in Ewigkeit!

Preist den Herrn, Feuer und Glut;
lobt und rühmt ihn in Ewigkeit!

Preist den Herrn, Frost und Hitze;
lobt und rühmt ihn in Ewigkeit!

Preist den Herrn, Rauhreif und Schnee;
lobt und rühmt ihn in Ewigkeit!

Preist den Herrn, ihr Nächte und Tage;
lobt und rühmt ihn in Ewigkeit!

Preist den Herrn, Licht und Dunkel;
lobt und rühmt ihn in Ewigkeit!

Preist den Herrn, ihr Blitze und Wolken;
lobt und rühmt ihn in Ewigkeit!

Preist den Herrn, ihr Berge und Hügel;
lobt und rühmt ihn in Ewigkeit!

Preist den Herrn, ihr Meere und Flüsse;
lobt und rühmt ihn in Ewigkeit!

Preist den Herrn, ihr Fische im Wasser;
lobt und rühmt ihn in Ewigkeit!

Preist den Herrn, ihr Vögel des Himmels;
lobt und rühmt ihn in Ewigkeit!

Preist den Herrn, ihr Tiere der Erde;
lobt und rühmt ihn in Ewigkeit!

Preist den Herrn, ihr Großen und Kleinen;
lobt und rühmt ihn in Ewigkeit!

Nach Dan 3, 57 ff.

Lobet und preiset ihr Völker den Herrn!
Freuet euch seiner und dienet ihm gern!
All ihr Völker, lobet den Herrn!

Kanon

Danke für den Sonntag!

Guter Gott,
du hast uns den Sonntag
als Ruhetag geschenkt.
Da können wir ausruhen, faulenzen
und das tun, was wir gern möchten.
Aber der Sonntag gehört auch dir.
Du lädst uns an diesem Tag ein,
dich im Gottesdienst zu preisen.
Du willst uns besonders nahe sein,
wenn wir uns in deinem Namen versammeln
und auf dein Wort hören.
Ich danke dir für den Sonntag.
Gib, daß ich mich immer wieder
auf das Zusammensein mit dir freue!

*Dies ist der Tag, den der Herr
gemacht hat; wir wollen jubeln
und uns an ihm freuen.*

Ps 118, 24

Wie leicht ist es für mich,
mit dir zu leben, Herr,
an dich zu glauben!
Wenn ich zweifelnd
nicht mehr weiter weiß
und meine Vernunft aufgibt,
wenn die klügsten Leute
nicht weitersehen
als bis zum heutigen Abend
und nicht wissen,
was man morgen tun muß –
dann sendest du mir
eine unumstößliche Gewißheit,
daß du da bist.

Alexander J. Solschenizyn,
russischer Schriftsteller,
Nobelpreisträger 1970

Zeig allen den Weg zu dir!

Guter Gott,
nur wenige Menschen denken an dich.
Die meisten denken an anderes:
an Besitz und Vergnügen,
schöne Geschenke und gutes Essen.
Viele sind so mit sich beschäftigt,
daß sie darüber deine große Liebe
zu uns ganz vergessen.
Herr, ich bitte dich:
Zeig allen Menschen den Weg zu dir!
Steh allen bei, denen es schwerfällt,
an dich zu glauben!
Laß alle für dich offen sein!

*Kommt, laßt uns jubeln
vor dem Herrn!*

Ps 95, 1

Ich glaube an Gott,

den Vater, den Allmächtigen,
den Schöpfer des Himmels und der Erde,

und an Jesus Christus,
seinen eingeborenen Sohn, unsern Herrn,
empfangen durch den Heiligen Geist,
geboren von der Jungfrau Maria,
gelitten unter Pontius Pilatus,
gekreuzigt, gestorben und begraben,
hinabgestiegen in das Reich des Todes,
am dritten Tage auferstanden von den Toten,
aufgefahren in den Himmel,
er sitzt zur Rechten Gottes,
des allmächtigen Vaters;
von dort wird er kommen,
zu richten die Lebenden und die Toten.

Ich glaube an den Heiligen Geist,
die heilige katholische/christliche Kirche,
Gemeinschaft der Heiligen,
Vergebung der Sünden,
Auferstehung der Toten
und das ewige Leben. Amen.

Apostolisches Glaubensbekenntnis

Guten Morgen, lieber Gott!

Guten Morgen, lieber Gott!
Ich danke dir,
daß ich gut geschlafen habe.
Ich weiß nicht,
was der heutige Tag bringen wird.
Du allein weißt es.
Ich bitte dich:
Laß mich heute so sein,
wie du es von mir erwartest!
Bleib immer bei mir,
wo ich auch bin, was ich auch tue!
Hilf mir, lieber Gott,
zu allen, die ich kenne und treffe,
gut zu sein!

Ich glaube an die Sonne,
auch wenn sie nicht scheint.
Ich glaube an die Liebe,
auch wenn ich sie nicht fühle.
Ich glaube an Gott,
auch wenn er schweigt.

Mauerinschrift im Warschauer
Ghetto 1944

Auf dem Weg zu dir

Ich bitte dich, Herr,
um die große Kraft,
diesen kleinen Tag zu bestehen,
um auf dem großen Wege zu dir
einen kleinen Schritt weiterzugehen.

Ernst Ginsberg
(Schauspieler, der 1964 nach totaler
Lähmung starb)

Wunderbar geborgen

Von guten Mächten
wunderbar geborgen,
erwarten wir getrost,
was kommen mag.
Gott ist bei uns
am Abend und am Morgen
und ganz gewiß
an jedem neuen Tag.

Dietrich Bonhoeffer,
am 9. 4. 1945 von den Nazis hingerichtet

Der Tag ist aufgegangen

Der Tag ist aufgegangen;
Herr Gott, dich lob' ich allezeit.
Dir sei er angefangen,
zu deinem Dienst bin ich bereit.

Den Tag will ich dir schenken
und alles, was ich tu,
im Reden und Gedenken,
im Werk und in der Ruh.

Überliefert

Ein neuer Tag

In ihm sei's begonnen,
Der Monde und Sonnen
An blauen Gezelten
Des Himmels bewegt.
Du, Vater, du rate!
Lenke du und wende!
Herr, dir in die Hände
Sei Anfang und Ende,
Sei alles gelegt!

Eduard Mörike (1804–1875)

Du begleitest mich

Guter Gott, du schenkst
mir diesen neuen Tag:
mit seinen Stunden,
seinen vielen Minuten
und den unzähligen Sekunden.
Ich weiß, daß du in jedem Augenblick
des heutigen Tages da bist
und mich begleitest.
Dafür danke ich dir.

Hilf mir, gut zu sein!

Gott, Vater im Himmel,
ein neuer Tag hat angefangen;
du schenkst ihn mir.
Ich freue mich und danke dir,
daß ich ihn leben darf.
Vor allem aber danke ich dir,
daß du überall und immer bei mir bist
und mich allezeit liebst;
das macht mich froh.
Zeige mir heute,
was recht und was unrecht ist!
Hilf mir, gut zu sein!

So ein Tag, Herr

Herr,
ich werfe meine Freude
wie Vögel an den Himmel.
Die Nacht ist verflattert,
und ich freue mich am Licht.
So ein Tag, Herr,
so ein Tag.

Herr,
ich freue mich an der Schöpfung.
Und daß du dahinter bist
und daneben und davor
und darüber
und in uns.

Gebet aus Afrika

Bleibe bei mir!

Gott, mein Behüter,
bleibe immer bei mir!
Morgens und abends,
am Tage und bei Nacht,
sei du allzeit mein Helfer!

Gebet aus Polen

Vergib mir alles Unrechte!

Lieber Gott,
es ist Nacht geworden
und Zeit, um schlafen zu gehen.
Ob du mit dem Tag,
wie ich ihn verbracht habe,
zufrieden sein kannst?
Ich weiß es nicht.
Sicher habe ich vieles falsch gemacht.
Bitte, vergib mir,
wenn ich einem wehgetan
oder jemanden beleidigt habe!
Alles, was heute verkehrt war,
soll morgen besser werden.
Lieber Gott, mach,
daß ich ruhig schlafe!
Segne alle, die mir lieb sind,
und stehe denen bei,
die deine Hilfe in dieser Nacht
besonders brauchen!

In Frieden leg' ich mich nieder
und schlafe ein; denn du allein,
Herr, läßt mich sorglos ruhen.

Ps 4, 9

Bevor des Tages Licht vergeht

Bevor des Tages Licht vergeht,
o Herr der Welt, hör dies Gebet:
Behüte uns in dieser Nacht,
durch deine große Güt' und Macht!

Hüllt Schlaf die müden Glieder ein,
laß uns in dir geborgen sein
und mach am Morgen uns bereit
zum Lobe deiner Herrlichkeit!

Dank dir, o Vater, reich an Macht,
der über uns voll Güte wacht
und mit dem Sohn und Heil'gen Geist
des Lebens Fülle uns verheißt.

Volksgut

Herr, bleibe bei uns!

*Herr, bleibe bei uns,
denn es will Abend werden,
und der Tag hat sich geneigt.*

(Auch als Kanon zu singen)

Ich bitte um deinen Schutz

Herr Jesus Christus,
du hast die Kinder, die zu dir kamen,
in deine Arme genommen.
Nimm mein Gebet an,
das Gebet deines Kindes!
Beschütze mich im Schatten deiner Flügel,
damit ich mich ruhig hinlegen
und schlafen kann;
und laß mich rechtzeitig aufwachen,
damit ich dich loben kann;
denn du allein bist gerecht
und barmherzig.

Gebet der Ostkirche

Laß mich in dir geborgen sein!

Guter Gott,
ich danke dir für diesen Tag,
für alles Gute,
das ich mit deiner Hilfe getan habe.
Ich bitte um Verzeihung für die Schuld,
die ich auf mich geladen habe.
Laß mich in dir geborgen sein!

Franz von Sales (1567–1622)

Sorge jeden Tag für uns!

Lieber Vater im Himmel,
wir freuen uns,
daß wir leben und gesund sind.
Das verdanken wir dir,
denn du bist der Geber alles Guten.
Auch das Essen auf dem Tisch
haben wir von dir bekommen.
Wir bitten: Sorge heute, morgen
und an jedem Tag für uns!

Wir können essen — und danken

*Es gibt Menschen, die haben Speise
und können nicht essen,
andere haben nichts,
was sie essen könnten;
wir aber haben Speise,
wir können essen —
und dem Herrn dafür danken.*

Robert Burns (1759—1796)

Wir leben von deinen Gaben

Vater, wir leben von deinen Gaben.
Segne das Haus, segne das Brot!
Gib uns die Kraft, von dem, was wir haben,
denen zu geben in Hunger und Not!

Gelobt sei Vater, Sohn und Geist!

Gelobt sei der himmlische Vater,
der uns das Brot der Erde geschenkt;
gelobt sei sein heiliger Sohn,
der uns das Wort des Lebens gebracht;
gelobt der Heilige Geist,
der uns zum Mahl der Liebe vereint!

Claus Schedl

Jesus sagt:
„Ich bin das Brot des Lebens;
wer zu mir kommt,
wird nie mehr hungern,
und wer an mich glaubt,
wird nie mehr Durst haben."

Joh 6, 35

Wer ist Jesus für mich?

Jesus ist die Wahrheit,
    die verkündet werden muß.
Jesus ist das Licht, das aufleuchten soll.
Jesus ist das Leben, das gelebt werden soll.
Jesus ist die Liebe, die wir lieben sollen.
Jesus ist die Freude, die wir austeilen sollen.
Jesus ist der Friede, den wir geben sollen.

Jesus ist der Hungrige, den wir speisen sollen.
Jesus ist der Dürstende,
    dessen Durst wir stillen sollen.
Jesus ist der Heimatlose,
    den wir aufnehmen sollen.
Jesus ist der Einsame, den wir lieben sollen.
Jesus ist der Bettler,
    dem wir ein Lächeln schenken sollen.

Jesus ist mein Gott.
Jesus ist mein Leben.
Jesus ist meine einzige Liebe.
Jesus ist mein Ein und Alles.

Mutter Teresa

Das Hohelied der Liebe

Die Liebe ist langmütig,
die Liebe ist gütig.
Sie ereifert sich nicht,
sie prahlt nicht,
sie bläht sich nicht auf.
Sie handelt nicht ungehörig,
sucht nicht ihren Vorteil,
läßt sich nicht zum Zorn reizen,
trägt das Böse nicht nach.
Sie freut sich nicht über das Unrecht,
sondern freut sich an der Wahrheit.
Sie erträgt alles,
glaubt alles,
hofft alles,
hält allem stand.
Die Liebe hört niemals auf.
Für jetzt bleiben
Glaube, Hoffnung, Liebe, diese drei;
doch am größten unter ihnen
ist die Liebe.

1 Kor 13, 4 – 8a. 13

Mit anderen leben

Danke, guter und großer Gott,
für unsere Familie:
für Mutter und Vater,
für meine Geschwister.
Wir mögen uns
und halten alle zusammen.
Wir sind *eine* Familie.
Darüber bin ich sehr glücklich.
Keiner denkt nur an sich.
Jeder tut etwas für den anderen –
in frohen und traurigen Stunden,
in gesunden und kranken Tagen.
laß dies immer so bleiben!

In meinen Eltern liebe ich dich

Vater im Himmel,
ich durfte mir meine Eltern nicht aussuchen.
So wie sie sind,
hast du sie mir geschenkt.
Dafür bin ich dir dankbar.
Gleichzeitig bitte ich dich:
Gib meinen Eltern Kraft

für ihre täglichen Aufgaben!
Hilf ihnen in ihren Sorgen,
Nöten und Schwierigkeiten!
Und laß mich immer daran denken:
Wenn ich meine Eltern ehre und liebe,
dann ehre und liebe ich auch dich.

Behüte Mutter und Vater!

Guter Gott,
ich bitte dich für meine Eltern:
Behüte und beschütze sie!
Erhalte sie gesund,
und gib,
daß sie sich immer gut verstehen!
Wenn Mutter oder Vater
einmal traurig sind,
dann erinnere sie daran,
daß du auch noch da bist!
Du kannst dafür sorgen,
daß sie wieder froh werden.

Gebet für meine Mutter

Lieber Vater im Himmel,
von all den guten Gaben,
die du mir gegeben hast,
ist die größte und schönste meine Mutter.

Meine liebe Mutter hat mich geboren.
Sie hat mich an ihren Brüsten genährt.
Sie hat mich Tag und Nacht umsorgt.
Sie hat mich gestreichelt und geherzt.
Sie hat auf ihren Schlaf verzichtet,
wenn ich krank war.
Sie hat um meine Gesundheit gerungen
und gelitten.
Alle ihre Liebe hat sie mir gegeben.

Lieber Vater im Himmel,
segne meine Mutter tausendmal.
Schenke ihr Gesundheit,
bewahre sie vor Unglück.
Laß mich ihr gehorsames Kind sein.
Gib ihr Liebe für Liebe.
Laß mich dankbar sein.
Mache mich immer bereit, ihr zu helfen.
Im Leben und im Sterben
will ich ihr Trost und Hilfe sein.

Aus Indien

Ich brauche meine Eltern

Herr, ich möchte frei und selbständig sein.
Du willst es so.
Wie sollte ich sonst Verantwortung
übernehmen können.
Es kann sein, daß es dadurch manchmal
zu Konflikten in unserer Familie
kommen wird.
Dabei will ich nie vergessen,
daß ich meinen Eltern viel verdanke,
mein Leben, mein Zuhause
und Hilfe in vielen Schwierigkeiten.
Ich brauche meine Eltern.
Laß mich ihre Sorgen und Nöte verstehen!
Ich will das Gespräch mit ihnen suchen
und hinhören auf ihre Ratschläge.
Ihren Argumenten will ich
mich nicht verschließen
und ihre Autorität als Eltern achten.

Für eine Familie ohne Vater

Lieber Gott,
für eine Familie in unserer Stadt (Straße)
bitte ich dich ganz besonders: (Name).
Die Frau hat ihren Mann,

die Kinder haben ihren Vater verloren.
Der Mann war sehr schwer krank.
Herr, bitte tröste diese Familie!
Mach, daß alle wieder froh werden!
Hilf ihnen, daß sie mit ihren Sorgen
nicht allein sind!
Laß sie in deiner Hand geborgen sein,
und bleibe alle Tage bei ihnen.

Meine Großmutter

Herr Gott,
ich danke dir für meine Großmutter,
für ihre Frömmigkeit,
für die zerbeteten Blätter
ihres Gebetbuches,
mit dessen Worten sie Tag um Tag,
früh und spät,
deinen Segen herabruft
auf ihre Kinder und Enkel.

Eine gute Freundschaft

Guter Gott,
ich habe einen Freund (eine Freundin).
Darüber bin ich sehr froh.
Wir sehen uns fast jeden Tag
und machen alles gemeinsam.
Mach, daß wir uns stets
aufeinander verlassen können;
daß einer immer zum anderen steht
und ihn verteidigt;
daß wir uns nie verraten
und alle Geheimnisse bei uns behalten!
Von dir, Herr, möchte ich lernen,
wie ich immer ein guter Freund sein kann.
Schenk mir darum deine Freundschaft,
damit ich sie an meinen Freund (meine Freundin)
weiterschenken kann!

Der Freund erweist zu jeder Zeit Liebe,
als Bruder für die Not ist er geboren.

Spr 17, 17

Immer wieder Streit

Herr, es gibt Tage, da gibt es
in der Klasse immer wieder Streit.
Einer kämpft gegen den anderen.
Neulich habe ich mich mit
einem Klassenkameraden geprügelt.
Die Strafe folgte auf dem Fuß:
eine Woche „Sozialdienst"
(Aufräumdienst) in der Klasse.
Lieber Gott, muß ich mit allen
Mitschülern freundlich umgehen?
Wenn du das willst,
mußt du mir viel dabei helten.
Sonst klappt es nicht.

Ein treuer Freund ist eine starke Burg,
wer einen solchen findet, hat einen
Schatz gefunden.
Für einen treuen Freund gibt es keinen Preis,
nichts wiegt seinen Wert auf.
Wie ein Schatz des Lebens ist ein treuer Freund,
ihn findet, wer Gott fürchtet.

Sir 6, 14–16

Christus, du forderst mich unablässig heraus
und fragst mich: „Wer bin ich für dich?"
Du bist der, der mich bis in das Leben liebt,
das niemals aufhört.
Du öffnest mir den Weg zum Wagnis.
Du gehst mir
auf dem Weg der Heiligkeit voraus.
Glücklich ist auf diesem Weg,
wer bis über den Tod hinaus liebt,
denn die letzte Antwort
ist das Hingeben deines Lebens.
Tag um Tag verwandelst du
das Nein in mir in ein Ja.
Du willst von mir nicht nur Bruchstücke,
sondern mein ganzes Dasein.
Du bist es, der Tag und Nacht in mir betet,
ohne daß ich wüßte wie.
Mein Stammeln ist ein Gebet:
Dich bei dem einen Namen Jesus nennen,
genügt schon.

Frère Roger,
Gründer der Gemeinschaft von Taizé

Das Gute sehen

Lieber Gott, manchmal sehe ich
in meinen Mitmenschen
nur das Negative,
das, was mir nicht gefällt,
was mich aufregt und stört.
Das ist nicht richtig.
In jedem Menschen
steckt auch etwas Gutes,
das nur darauf wartet,
von mir entdeckt zu werden.
Lieber Gott, hilf mir bitte,
dieses Gute im anderen
zu entdecken und zu schätzen!
Ich möchte jeden so sehen,
wie du ihn geschaffen hast.

●

Das größte Übel,
das wir unsern Mitmenschen antun können,
ist nicht, sie zu hassen,
sondern ihnen gegenüber gleichgültig zu sein.
Das ist die absolute Unmenschlichkeit.

George Bernard Shaw,
irischer Dramatiker
(1856–1950)

Jeden Tag passiert Schreckliches

Lieber Gott,
auf der Welt passiert jeden Tag
Schlimmes und Schreckliches.
Immer ist irgendwo Krieg:
Menschen greifen zu den Waffen
und töten andere Menschen.
Es gibt Ungerechtigkeit und Haß,
Hunger und Elend,
Hilflosigkeit und Verzweiflung.
Ich bitte dich:
Erbarm dich aller, die leiden
und deine Hilfe brauchen!
Laß die Welt so werden,
wie du sie haben willst,
und zeig uns,
was wir dazu beitragen können!

Schenk ihnen das ewige Leben!

Herr, vergilt in Güte allen,
die uns um deines Namens willen
Gutes tun, und schenk ihnen
das ewige Leben!

Keiner lebt für sich allein

Keiner lebt nur für sich allein,
keiner stirbt nur für sich allein.

Wir alle sind verantwortlich füreinander.
Wir alle sind verbunden mit Gott
durch seinen Ruf an uns.

In der Hingabe an ihn
und im Dienst für alle Menschen
bringen wir die gute Nachricht
von der Erlösung.

Wir alle sollen gemeinsam singen,
alle Nationen sollen gemeinsam preisen,
denn wir alle sind und heißen
Kinder des Herrn.

Ein Lied von den Philippinen

Gib unseren Herzen einen Stoß!

Herr, du kennst uns alle:
Du kennst die, die nichts haben.
Und du kennst die, die alles haben,
dicke Wagen, schöne Häuser und viel Geld.
Du kennst die,
die nicht genug zu essen haben.
Und du kennst die, die auf Kosten anderer
immer reicher und mächtiger werden.
Wir alle sind deine Kinder.
Wir alle brauchen dich.
Wir brauchen deine Liebe,
damit wir uns gegenseitig lieben können.
Gib unseren Herzen einen Stoß!

Gebet aus Afrika

Ich bitte für Hungernde und Satte

Barmherziger Gott,
ich bitte für alle Menschen, die hungern,
daß sie satt werden,
für alle, die satt sind,
daß sie hungern
nach immer mehr Gerechtigkeit!

Lehre mich, mit anderen zu teilen!

Guter Gott,
du hast die Welt für alle geschaffen.
Und doch haben einige Menschen nichts,
und andere besitzen viel.
Das liegt nicht an dir,
sondern an uns.
Bitte, Herr, laß uns lernen,
mit anderen Menschen zu teilen!
Denn nur wer teilen kann,
versteht, was es heißt,
alle Menschen zu lieben.
Lehre mich lieben, guter Gott,
indem ich immer wieder mit anderen teile!

Kriege machen arm und unglücklich

Vater im Himmel,
jeden Tag lese oder höre ich
von Kriegen und Streitigkeiten,
von Unruhen und Kämpfen.
Die Menschen vertragen sich nicht.
Sie kämpfen gegeneinander
und fügen sich viel Leid zu.
Gott, du willst das alles nicht.
Du willst, daß alle Menschen

in Frieden miteinander leben.
Kriege machen einsam und traurig,
arm und unglücklich,
kalt und herzlos.
Bitte, hilf den Menschen,
den Frieden mehr zu lieben
als den Krieg!

Du, du, du!

Wo ich gehe – du!
Wo ich stehe – du!
Nur du, wieder du, immer du!
Du, du, du!
Ergeht's mir gut – du!
Wenn's weh mir tut – du!
Nur du, wieder du, immer du!
Du, du du!
Himmel – du, Erde – du,
Oben – du, unten – du!
Wohin ich mich wende, an jedem Ende!
Nur du, wieder du, immer du!
Du, du, du!

Aus den Erzählungen
der jüdischen Chassidim

Einander lieben wie Brüder

Gott, unser Vater, Schöpfer der Welt,
laß uns einander liebhaben!
Laß die Völker
friedlich miteinander leben!
Laß uns einander
lieben wie Brüder!
Laß uns mithelfen,
daß der Friede auf der ganzen Welt
verbreitet wird
und die Menschen glücklicher werden!

Gebet aus Japan

*Wenn durch einen Menschen
ein wenig mehr Liebe und Güte,
ein wenig mehr Licht und Wahrheit
in der Welt war,
hat sein Leben einen Sinn gehabt.*

Alfred Delp (1907–1945)

Alle Menschen lieben?

Guter Vater,
dein Sohn hat gesagt,
man solle alle Menschen lieben.
Das kann ich nicht.
Wenn ich geschlagen werde,
schlage ich zurück.
Wenn andere patzig sind,
bin auch ich patzig.
Wer mich ärgert,
wird auch von mir geärgert.
Ich weiß, daß das nicht richtig ist.
Hilf mir, guter Vater,
einen neuen Anfang zu machen!
Laß mich schweigen,
wenn andere reden;
die Wahrheit sagen,
wenn ich lügen möchte;
Frieden stiften,
wo Streit herrscht!
Mit deiner Hilfe, Herr,
schaffe ich es sicher.

Vater im Himmel,
ich bitte dich:
Gib mir
reinen Geist,
damit ich dich sehe,
demütigen Geist,
damit ich dich höre,
liebenden Geist,
damit ich dir diene,
gläubigen Geist,
damit ich dich liebe!

*Dag Hammarskjöld,
Generalsekretar der UNO († 1961)*

Öffne mir den Blick!

Herr, öffne mir den Blick für ...

die Menschen, die Angst haben,
die Menschen, die traurig sind,
die Menschen, die leiden müssen,
die Menschen, denen es am Nötigsten fehlt,
die Menschen, denen ich grob begegne,
die Menschen, denen ich ausgewichen bin,
die Menschen ...

Die Menschen reisen in fremde Länder
und staunen über
die Höhe der Berge,
die Gewalt der Meereswellen,
die Länge der Flüsse,
die Weite des Ozeans,
das Wandern der Sterne.
Aber sie gehen ohne Staunen
aneinander vorbei.

Aurelius Augustinus (354-430)

Mach mich zum Boten deines Friedens!

Herr, mach mich
zum Boten deines Friedens,
daß ich dort,
wo Haß ist, Liebe bringe;
wo Unrecht herrscht, den Geist des Verzeihens;
wo Uneinigkeit ist, Einigkeit;
wo Irrtum herrscht, Wahrheit;
wo Zweifel ist, Hoffnung;
wo Schatten ist, Licht;
wo Traurigkeit ist, Freude!

Aus Frankreich

*Wenn jemand sagt: Ich liebe Gott,
aber seinen Bruder haßt,
ist er ein Lügner.*

1 Joh 4, 20

*Gott, mache uns zu Menschen,
die Ruhe ausstrahlen
und Frieden verbreiten!*

Gebet aus dem 1. Jahrhundert

Hilf allen, die dich brauchen!

Lieber Gott,
ich weiß, wir können nur leben,
wenn du uns hilfst.
Darum bitte ich dich für alle,
die deiner Hilfe bedürfen:
für die Kranken,
die Angst vor morgen haben,
für die Sterbenden,
denen kein Mensch helfen kann,
für die Behinderten,
die keinen Platz im Beruf finden,
für die Ausländer,
die verachtet und ausgenutzt werden,
für die Strafentlassenen,
denen es nicht gelingt,
ein neues Leben anzufangen!
Hilf allen, die dich brauchen!
Mach du alles gut!

*Ein sicherer Weg, einen Freund zu gewinnen,
ist: selber einer zu sein.*

Volksweisheit

Bleibe bei allen Menschen!

Barmherziger Gott,
ich bitte dich:
Bleibe bei allen Menschen!

Bleibe bei allen,
die Schmerzen erleiden,
die vor Sorgen nicht schlafen können,
die um andere Menschen trauern,
die einsam sind,
die heute noch sterben müssen!

Bleibe bei allen,
die auf der Welt Frieden stiften können,
die andere zum Leben ermutigen,
die in Politik und Kirche tätig sind,
die in Krankenhäusern arbeiten,
die ihr Geld bitter verdienen müssen!

Barmherziger Gott,
bleibe bei allen Menschen!

*Wer den Leidenden nicht mehr wahrnimmt,
erblindet auch für die Rose.*

Heinrich Spaemann

Ein Zug ist verunglückt

Lieber Gott,
die Tagesschau meldete heute abend:
Ein Zug ist verunglückt.
Mehrere Wagen sind verbrannt,
einige Kinder kamen ums Leben.
Es geschehen viele Unglücke
mit Eisenbahnen, Autos und Flugzeugen.
Bitte, guter Gott, mach,
daß es weniger Unglücke gibt!
Hilf den Eltern,
deren Kinder gestorben sind,
daß sie nicht verzweifeln!
Ich danke dir, daß ich nicht
in dem verunglückten Zug gesessen bin.

Der kleine Prinz sagt:
Hier ist mein Geheimnis.
Es ist ganz einfach:
Man sieht nur mit dem Herzen gut.
Das Wesentliche
ist für die Augen unsichtbar.

Antoine de Saint-Exupéry (1900–1944),
französischer Dichter und Flieger

Jesus sagt:

Wenn ihr betet, macht es nicht wie die Heuchler. Sie stellen sich beim Gebet gern in die Synagogen und an die Straßenecken, damit sie von den Leuten gesehen werden. Amen, das sage ich euch: Sie haben ihren Lohn bereits erhalten.

Du aber geh in deine Kammer, wenn du betest, und schließ die Tür zu; dann bete zu deinem Vater, der im Verborgenen ist. Dein Vater, der auch das Verborgene sieht, wird es dir vergelten.

Wenn ihr betet, sollt ihr nicht plappern wie die Heiden, die meinen, sie werden nur erhört, wenn sie viele Worte machen. Macht es nicht wie sie; denn euer Vater weiß, was ihr braucht, noch ehe ihr ihn bittet.

(Mt 6, 5–8)

Du weißt den Weg für mich

In mir ist es finster, aber bei dir ist das Licht;
ich bin einsam, aber du verläßt mich nicht;
ich bin kleinmütig, aber bei dir ist die Hilfe;
ich bin unruhig, aber bei dir ist der Friede;
in mir ist Bitterkeit, aber bei dir ist die Geduld;
ich verstehe deine Wege nicht,
aber du weißt den Weg für mich.

Dietrich Bonhoeffer (1906–1945)

Meine Stärken und Fehler

Worauf soll ich hören, sag mir, worauf?
So viele Geräusche, welches ist wichtig?
So viele Beweise, welcher ist richtig?
So viele Reden! Ein Wort ist wahr.

Wohin soll ich gehen, sag mir, wohin?
So viele Termine, welcher ist wichtig?
So viele Parolen, welche ist richtig?
So viele Straßen! Ein Weg ist wahr.

Wofür soll ich leben, sag mir wofür?
So viele Gedanken, welcher ist wichtig?
So viele Programme, welches ist richtig?
So viele Fragen! Die Liebe zählt.

Nach Lothar Zenetti

*Du sollst deinen Nächsten lieben
wie dich selbst.*

Mk 12, 30–31

Guter Gott,
täglich stillst du meinen Hunger.
Das macht mich glücklich und froh.
Doch ich brauche noch mehr
als Essen und Trinken.
Ich brauche Menschen,
die mir eine Freude machen,
die mir ein gutes Wort sagen,
die mir wieder verzeihen,
wenn ich einen Fehler gemacht habe.
Ganz besonders aber brauche ich dich:
deine Güte und Liebe,
deine Sorge und Führung,
deine Vergebung und Barmherzigkeit.
Bitte, gib mir alles,
was ich zum Leben brauche!

Du willst immer mit mir sein

Herr und Gott, in allem,
was ich jeden Tag empfange,
will ich dich, den Schenkenden, erkennen.
Du willst immer mit mir sein,
damit ich nicht allein bin.
Dafür sei dir Dank,
durch Christus, unseren Herrn.

Ich möchte lieben wie du, Herr

Vater im Himmel,
welcher Unterschied ist zwischen dir und mir!
Ich hasse andere Menschen –
du liebst mich.
Ich wünsche anderen Böses –
du bist gütig.
Ich liebe oft nur mich selbst –
du liebst alle Menschen ...
Aber was kann ich tun?
Nur wenn ich immer wieder
über deine Liebe nachdenke,
werde ich lernen, zu lieben wie du.
Bitte, Herr, hilf mir dabei!

Herr, gib mir den Mut,
das zu ändern,
was ich ändern kann!
Gib mir die Gelassenheit,
mich mit dem abzufinden,
was ich nicht ändern kann!
Und gib mir die Weisheit,
das eine vom anderen zu unterscheiden!

Friedrich Christoph Oetinger (†1782)

Du kennst mich, Herr

Herr, du kennst mich,
und du hast mich erwählt.
Nimm mich also,
wie ich bin,
und zeige mir,
wie du mich haben willst!

Johann Michael Sailer (1751–1832)

Warum bin ich oft so?

Guter Vater,
warum bin ich oft so?
Ich tue häufig Dinge,
die ich nicht möchte
und die dir nicht gefallen.
Es gibt vieles,
was mich daran hindert, gut zu sein:
böse Worte, lieblose Gedanken,
dumme Ausreden und Lügen,
unterlassene Hilfeleistungen …
Hilf mir, Herr,
meine eigenen Fehler zu erkennen,
und gib mir jeden Tag die Kraft,
es ein wenig besser zu machen!

Lehre mich verzeihen, Herr!

Guter Gott,
es fällt mir manchmal schwer,
anderen Menschen zu vergeben.
Ich bin ihnen zuweilen wochenlang böse,
wenn sie mich gekränkt haben.
Bei dir, Herr, ist es anders.
Du bist immer bereit,
einem Menschen zu vergeben,
mag seine Schuld auch noch so groß sein.
Deine Arme sind offen für jeden,
der Unrecht getan hat.
Bitte, lehre mich vergeben,
wie du es tust!
Laß mich erkennen:
Wenn ich anderen verzeihe,
verzeihst auch du mir meine Schuld!

Der Apostel Paulus sagt:
„Laß dich nicht vom Bösen besiegen,
sondern besiege das Böse
durch das Gute!"

Röm 12, 21

Bei dir ist Vergebung

Aus der Tiefe rufe ich, Herr, zu dir:
Herr, höre meine Stimme!
Wende dein Ohr mir zu,
achte auf mein lautes Flehen!
Würdest du, Herr, unsere Sünden beachten,
Herr, wer könnte bestehen?
Doch bei dir ist Vergebung,
damit man in Ehrfurcht dir dient.
Ich hoffe auf den Herrn,
es hofft meine Seele,
ich warte voll Vertrauen auf sein Wort.

Ps 130, 1–5

Viele kleine Leute
an vielen kleinen Orten,
die viele kleine Dinge tun,
werden das Angesicht
der Erde verändern.

Afrikanische Weisheit

Eine Gabe von Gott

Ich sah,
wie die Menschen sich mühen,
und sah,
daß Gott die Mühe
über sie verhängt hat.
Ich merkte,
daß es nichts Besseres gibt,
als daß der Mensch
fröhlich ist
bei seiner Arbeit.
Daß er aber essen und trinken
und sich ein wenig freuen kann
bei seiner Mühsal,
ist auch eine Gabe von Gott.

Nach Koh/Pred 3, 10.12–13

Begleite mich durch meinen Schultag!

Guter und großer Gott,
ein neuer Schultag hat begonnen.
Ich bitte dich:
Begleite mich durch den heutigen Tag!
Wenn mir das Lernen schwerfällt,
mache mir wieder Mut!
Wenn ich träumen möchte,
gib mir klare Gedanken!
Wenn ich zu faulenzen beginne,
halte mich an zur Arbeit!
Wenn andere besser lernen als ich,
laß mich nicht neidisch werden!
Wenn ich anfange zu streiten,
schenk mir den Sinn für Kameradschaft!
Herr, begleite mich durch meinen Schultag!

Vater im Himmel,
jeden Tag bin ich in der Schule.
Ich muß aufpassen und lernen.
Das fällt mir nicht immer leicht,
denn Aufpassen und Lernen ist anstrengend.
Aber es muß sein.
Guter Gott, gib mir die Kraft,
daß ich gut im Unterricht mitkomme!

Endlich sind Ferien!

Herr, du hast es gesehen,
wie ich den Ranzen in die Ecke gefeuert habe.
Ich habe es satt, satt, satt.
Und doch freue ich mich.
Ich habe es mal wieder geschafft,
mit deiner Hilfe.
Das Zeugnis ist gut.
Aber ich weiß,
es hätte besser sein können,
wenn ich mir mehr Mühe gegeben hätte.
Nun, du weißt schon:
meine Nerven!
Laß mich in den Ferien
locker sein und freundlich.
Schütze mich in Gefahren,
bewahre mich vor Leichtsinn.
Laß alles gut werden.

Und ehe ich es vergesse:
Danke, daß du mein Freund bist,
danke für deine Liebe und Geduld.
Ich will dich in den Ferien
jeden Tag mal anrufen
und mit dir sprechen,
dir alles erzählen.
Also, bis bald.

Schrecklich wütend

Guter Gott,
ich bin unzufrieden und wütend.
Denn heute ging alles daneben.
Das fing schon am Morgen an,
als ich im Bad ausgerutscht bin.
Mittags hat Mutter geschimpft,
als ich so spät aus der Schule kam.
Auf dem Sportplatz haben mich
meine Kameraden geärgert.
Ich könnte heute vor Wut
alles zusammenschlagen.
Bitte, Herr, hilf mir, daß ich mich selbst
nicht so wichtig nehme!
Gib, daß ich gelegentlich lachen kann,
wenn alles danebengeht!
Laß mich erkennen, daß es andere
nicht immer so böse meinen,
wie ich meistens glaube!

Gott, an dem Tag,
da ich mich fürchten muß,
setze ich auf dich mein Vertrauen.

Ps 56, 4

Alle sind unzufrieden mit mir

Guter Vater,
manchmal fühle ich mich
wie ein „schwarzes Schaf".
Die Eltern schimpfen mit mir,
weil mir vieles mißlingt.
Kameraden und Schulfreunde
hacken auf mir herum,
weil ich ihnen nichts recht mache.
Sogar mein bester Freund (beste Freundin)
hat mich heute ausgelacht.
Alle sind unzufrieden mit mir.
Ich bitte dich, Herr:
Laß mich nicht mutlos werden!
Laß mich das Beste
aus meinen Fähigkeiten machen!
Bleibe vor allem immer bei mir,
wenn sich andere von mir abwenden!

Lieber Gott, sei gut zu mir;
das Meer ist so weit,
und mein Boot ist so klein!

Gebet eines Fischers aus der Bretagne

Was ich schön finde

Lieber Gott,
ich möchte dir einmal sagen,
was ich besonders schön finde.
Ich schreibe in der Schule
gern eine gute Note.
Ich liege zu Hause
gern auf dem Sofa
und höre schöne Musik.
Ich bin gern
mit meinen Freunden zusammen.
Ich bleibe am Abend
gern lange auf.
Ich freue mich,
wenn mir jemand schöne Poster
für mein Zimmer schenkt...
Danke, lieber Gott,
daß es so vieles gibt,
was ich gern mag!

Was ich nicht schön finde

Ich finde es nicht schön,
wenn meine Eltern
so wenig Zeit für mich haben,
wenn meine Freunde

beim Spielen immer gewinnen wollen,
wenn einige Mitschüler
mich gelegentlich ärgern und auslachen,
wenn ich Menschen treffe,
die immer nur für sich
das Beste haben wollen.
Hilf uns, lieber Gott,
daß wir gut miteinander auskommen!
Steh uns bei,
daß wir uns immer besser vertragen!

Schenk mir Menschen, die mich mögen!

Lieber Gott,
zur Zeit bin ich richtig traurig.
Ich habe mich mit meinen Eltern
und mit meinen Freunden (Freundinnen) zerstritten.
Manchmal meine ich,
daß es niemanden mehr gibt,
der mich von Herzen gern hat.
Guter Gott, laß mich wieder
glücklich und froh sein!
Schenk mir gute Menschen,
die mich mögen!
Wie gut ist es, daß ich mit dir
über alles sprechen darf!

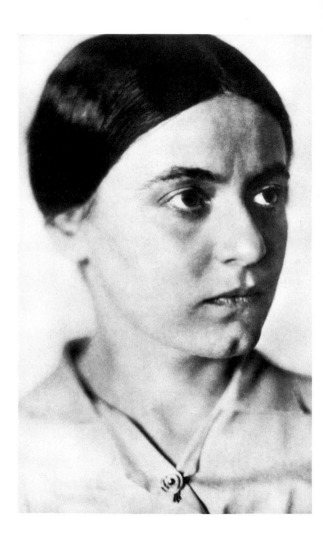

Erhör, o Gott, mein Flehen,
hab auf mein Beten acht.
Du sahst von fern mich stehen,
ich rief aus dunkler Nacht.
Auf eines Felsens Höhe
erheb mich gnädiglich.
Auf dich ich hoffend sehe:
Du lenkst und leitest mich.

Du bist gleich einem Turme,
den nie der Feind bezwang.
Ich weiche keinem Sturme,
bei dir ist mir nicht bang.
In deinem Zelt bewahren
willst du mich immerdar.
Mich hütet vor Gefahren
dein schirmend Flügelpaar.

Edith Stein,
1942 in Auschwitz hingerichtet

Tröste mich!

Lieber Gott,
einer meiner Klassenkameraden
hat sich das Leben genommen.
Er wollte nicht mehr leben.
Bei ihm zu Hause war es nicht schön,
in der Schule hatte er Schwierigkeiten,
keiner kümmerte sich um ihn –
und dann hat er Schluß gemacht.
Ich muß immer an ihn denken.
Nimm ihn zu dir in dein Reich!
Gleichzeitig bitte ich dich:
Tröste mich, wenn ich traurig bin!
Du weißt selbst, wie das ist,
wenn man niedergeschlagen und traurig ist.
Bleib alle Tage bei mir,
lieber Gott!

Ich bin krank

Vater im Himmel,
ich bin seit einigen Tagen krank
und liege mit einer Grippe im Bett.
Manchmal werde ich mißmutig und ungeduldig
und lasse meine schlechte Laune
an meinen Eltern und Geschwistern aus.

Herr, laß mich täglich daran denken,
daß es Menschen gibt,
die es viel schwerer haben als ich;
daß es viel größeres Leid gibt
als mein eigenes!
Gib mir die Kraft,
die kurze Zeit meines Krankseins
geduldig zu ertragen!

Gesundheit – ein Geschenk von dir

Guter Gott,
wir Menschen meinen immer,
Gesundheit sei etwas Selbstverständliches.
Das ist nicht richtig.
Als ich neulich krank war,
da habe ich gemerkt, wie schön es ist,
gesund zu sein.
Ich will täglich daran denken:
Gesundheit ist ein hohes Gut.
Sie ist ein Geschenk von dir.
Danke für dieses Geschenk!

Danke für alles Gute!

Lieber Gott,
heute bin ich ... Jahre alt geworden.
Dir und meinen Eltern danke ich,
daß ich auf der Welt bin.
Ich danke dir für alles Gute,
das ich bisher erlebt habe,
und für alles, was mir gelungen ist.
Ich freue mich,
daß das Leben so schön ist.
Für das neue Lebensjahr bitte ich
um deinen Schutz und Beistand.
Laß mich bei dir geborgen sein!

Herr, ich danke dir

Herr, ich danke dir, daß ich ein Zuhause habe,
ich danke dir, daß ich Eltern habe,
daß ich so vieles lernen darf.
Ich danke dir, daß ich gesund bin,
ich danke dir, daß ich Hände habe
und schreiben kann.
Ich danke dir, daß ich keinen Hunger habe.
Ich danke dir für alles.

Maria, 13 Jahre

Zu deiner Ehre

Lieber Gott,
heute vor ... Jahren war mein Tauttag.
Seit diesem Tag
darf ich ein Christ sein.
Mit vielen anderen Menschen
gehöre ich ganz dir.
Bitte, lieber Gott, hilf mir,
als Christ zu leben
und meine Mitmenschen zu lieben!
Laß mich gesund und froh bleiben!
Alles, was ich tue,
soll zu deiner Ehre geschehen!

So spricht der Herr:
„Ich habe dich beim Namen gerufen,
du bist mein."

Jes 43, 1

Auf der Straße

Lieber Gott, jeden Tag
bin ich auf unseren Straßen unterwegs.
Überall herrscht viel Verkehr.
Ich habe mir vorgenommen,
immer gut aufzupassen,
die Verkehrsregeln ernstzunehmen,
auf ältere und behinderte Menschen
besondere Rücksicht zu nehmen
und dort zu helfen, wo ich helfen kann.
Bitte, guter Gott, begleite mich
auf meinem täglichen Weg
über unsere Straßen!

Fahr du mit uns!

Lieber Gott, ich freue mich
auf die kommenden großen Ferien.
Wieder darf ich ein Stück
von deiner schönen Welt kennenlernen.
In diesem Jahr fahre ich
mit der Jugendgruppe ans Meer.
Im letzten Jahr
waren wir in den Bergen.
Gib uns schöne Ferien
mit viel Freude und Erholung!

Schenk uns gutes Wetter,
aufregende Spiele und ein fröhliches Herz!
Fahr du mit uns,
damit wir gut ankommen
und gesund wieder zurückkehren!

Unterwegs

Ich bin allein.
Keiner außer dir, mein Gott,
begleitet mich auf meinem Weg.
Was soll ich fürchten,
wenn du bei mir bist,
der Tag und Nacht geschaffen hat?
Wenn du mich beschützt,
bin ich sicherer,
als wenn ein ganzes Heer
mich beschützte.

Kolumbus (1451–1505)

*Der Herr behüte dich,
wenn du fortgehst und wiederkommst!*

Ps 121, 8

Die Ferien gehen zu Ende

Guter Gott,
bald sind die Ferien vorbei.
Schöne Wochen liegen hinter mir.
Ich bin gespannt,
was im neuen Schuljahr alles
auf mich zukommen wird.
Um ganz ehrlich zu sein:
Ich habe auch etwas Angst –
vor den neuen Lehrern,
vor den neuen Klassenkameraden,
vor dem neuen Stoff ...
Ob ich alles gut bewältigen werde?
Schenk mir einen guten Anfang!

Beschütze jeden auch weiterhin!

Guter Gott, bald bin ich
nicht mehr in der Schule.
Ich trete eine Lehrstelle an.
Neun Jahre bin ich jeden Tag
in die Schule gegangen.
Das war eine lange Zeit.
Ich danke dir für alles Schöne.
Ich danke dir für alle Kameraden,
mit denen ich zusammen war.

Viele sind meine Freunde geworden.
Ich danke dir für alle Lehrer,
die mich unterrichtet haben.
Ich habe viel bei ihnen gelernt.
Bitte, lieber Gott, beschütze
und segne jeden von uns auch weiterhin!

Wenn ich erwachsen bin

Lieber Gott,
manchmal denke ich daran,
wie alles sein wird,
wenn ich erwachsen bin.
Ich möchte gern Techniker werden,
ein schnelles Auto fahren,
viel Geld verdienen,
die ganze Welt kennenlernen.
Ich möchte eine liebe Frau heiraten,
zwei Kinder haben,
ein schönes Haus bauen,
ein kleines Segelboot besitzen.
Natürlich weiß ich nicht,
ob alles so kommen wird, lieber Gott.
Du allein weißt es.
Das Wichtigste aber ist,
daß du immer bei mir bleibst
und daß ich immer bei dir bin.

Ein Konzertpianist sagte:
Wenn ich einen Tag nicht übe,
merke ich es.
Wenn ich zwei Tage nicht übe,
merken es meine Freunde.
Wenn ich drei Tage nicht übe,
merkt es das Publikum.

Mir geht es ähnlich mit dem Beten.
Wenn ich einen Tag nicht bete,
merkt es Gott.
Wenn ich zwei Tage nicht bete,
merke ich es selber.
Wenn ich drei Tage nicht bete,
merkt es meine Umgebung.

Otto Dibelius (1880–1967),
Bischof der Evangelischen Kirche
von Berlin-Brandenburg

Ich habe dich lieb

Großer Gott, ich weiß nicht,
was ich dir jetzt sagen soll.
Mir will einfach nichts einfallen.
In mir ist es öde und leer.
Ich kann nur die Hände falten
und ganz fest an dich denken.
Du weißt, was in mir vorgeht
und was mir alles fehlt.
Ich bitte dich, lieber Gott:
Sieh in mein Herz,
und gib mir, was ich brauche!
Ich habe dich lieb.

So betete Jesus

Vater,
dein Name werde geheiligt.
Dein Reich komme!
Gib uns täglich das Brot,
das wir brauchen!
Und erlaß uns unsere Sünden;
denn auch wir erlassen jedem,
was er uns schuldig ist.
Und führe uns nicht in Versuchung!

Lk 11, 2–4

Inhalt

Quellennachweis

Die nicht belegten Texte stammen vom Autor.
Alle Schriftstellen sind nach der Einheitsübersetzung zitiert.

S. 9; 18	Adalbert Ludwig Balling, Unseren täglichen Reis gib uns heute, Herder Taschenbuch 1119, Freiburg 1984
S. 27; 65	Dietrich Bonhoeffer, Widerstand und Ergebung, München, 3. Aufl. der Neuausgabe 1970, 1985 © Chr. Kaiser/Gütersloher Verlagshaus, Gütersloh
S. 29	© Bernward Verlag, Hildesheim
S. 35	© P. Alfred Schedl
S. 37	Päpstlicher Rat für Laien, Ein Fest der Hoffnung, (Verlag Neue Stadt) München 1984
S. 42	R. Fischer-Wollpert, A. Lissner, J. Heckens, G. Wüst, Gebet der Familie, (Verlag Butzon & Bercker) Kevelaer ²1971
S. 47	© Ateliers et Presses de Taizé, F-71250 Taizé-Communauté
S. 53	M. Buber, Die Erzählungen der Chassidim, (Manesse-Verlag) Zürich 1949
S. 57	Dag Hammarskjöld, Zeichen am Weg, © Droemer Knaur Verlag, München
S. 67	© Verlag J. Pfeiffer, München

Fotonachweis

S. 10, 22	KNA-Bild
S. 36	Melters / present
S. 46	Radtke / present
S. 56, 92	dpa-Bild
S. 64	epd-Bild
S. 82	Edith-Stein-Archiv, Karmel Köln